獅子座
的襟針

3

作者
陳四月

繪畫
魂魂
SOUL

目錄 CONTENTS

CHAPTER I
蒙面男爵的交易
007

CHAPTER 2
夢境中的森林
021

CHAPTER 9
幽靈城堡
99

CHAPTER 10
最危險的花
111

CHAPTER 8
武術世家（下）
087

CHAPTER 3
旭日城
033

CHAPTER 4
芙蘿拉盜賊團
045

CHAPTER 5
前往東方的火車
057

CHAPTER 6
玫瑰大盜
067

CHAPTER 7
武術世家（上）
075

登場人物

CHARACTER

潘娜恩 16歲

外表冰冷、沈默寡言。自小受到「詛咒」：被她雙手觸摸過的人都會遭遇不幸、惡運纏身。為免害人，她長期戴著黑色手套隔絕與他人接觸。

淩東 16歲

木無表情、口不對心的貼身保鏢。出生在戰亂地區的孤兒，從小接受訓練及培養成為僱傭兵，精通多國語言及槍械，對命令絕對服從。

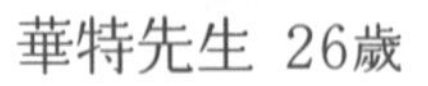

華特先生 26歲

城中最大美術館「星河美術館」的館長，在眾人眼中是個偉大無私的慈善家；但他亦是穿梭於世界各地犯案的神秘怪盜——蒙面男爵。

露娜 12歲

蒙面男爵所收養的孖生姊妹中的姐姐。冷若冰霜、沈默寡言，酷愛甜食，智力和體能遠超同齡的人。

露比 12歲

露娜的孖生妹妹，活潑開朗，十分愛説話。擁有和姐姐相同的智力和體能，二人被安排和西門學同一班級，跟他有著密切關係。

況佑南 16 歲

性格開朗率直，出生於武術世家；是個運動神經發達，極具正義感的陽光男孩。只要下定決心，便會奮力向前，不輕易放棄。

任北辰 26 歲

擁有專業醫生資格，擅長烹飪和打理家頭細務，細心且樂於照顧別人，是個可靠的大哥哥。

西門學 12 歲

害羞而且認生的電腦奇才，擁有製作機械人的技術和知識。喜歡獨處，不擅長與人交際，是個性格內向的小男孩。

蕾安娜 22 歲

況佑南的大師姐，曾是佑南父親最得意的門生。被逐出師門後音信全無，直至成為蒙面男爵的貼身侍衛，才再出現在娜恩和四騎士面前。

薇芙 20歲

「芙蘿拉盜賊團」的團長，代號紅玫瑰。身手不凡、神出鬼沒，是地下社會裡赫赫有名的女盜賊，特別鍾愛紅色與名貴珠寶。

上回提要

落難千金小姐遇上四騎士後性格漸變開朗和勇敢，她們一起追尋十二聖物，目前已找到水瓶座的魔法筆與雙魚座的魔笛。

今期聖物

獅子座的襟針

能任意指揮方圓百里的所有動物。

CHAPTER I

蒙面男爵的交易

城中最大的美術館——「星河美術館」，每天吸引成千上萬的民眾前來參觀，收益全數用作支持藝術發展。設立這美術館的館長——華特先生，在大家眼中是個偉大無私的慈善家，但他其實還有一個鮮為人知的身份。

穿梭於世界各地犯案的神秘怪盜，沒有人知道他真正身份是蒙面男爵。

「小姐，你確定要和蒙面男爵進行交涉嗎？」任北辰陪伴潘娜恩來到星河美術館門前。

「為了確保人魚島不被外來人士侵襲，我必須買下人魚度假村，加強對人魚島的保護。」娜恩在人魚島的原住民伊莉族人手上，得到了用來守護人魚島的聖物——雙魚座的魔笛，現在伊莉族人已失去了保護小島免被侵害的力量。

而人魚度假村的老闆，正是以華特這偽名掩人耳目的蒙面男爵。

「就算蒙面男爵願意出售，小姐你又哪有這麼龐大的資金呢？」北辰反對娜恩接近蒙面男爵。

蒙面男爵曾為了捉拿娜恩而襲擊學園，對於

四騎士而言，他是想傷害娜恩的敵人。

「必要時候唯有動用星辰集團的資產，我相信爸爸媽媽在天之靈也不會反對的。」娜恩還未查清父母死亡的真相，而父親創立的星辰集團現在由娜恩的伯父管理。

「潘日臣會這麼輕易答應嗎？他是對小姐圖謀不軌的人啊。」北辰十分擔憂，娜恩正處於四面受敵的形勢，她能相信的人就只有守護她的四騎士。

「就算要威迫勒索，我也必須實踐對原住民的承諾，人魚島的存在意義重大。」島上的珍貴物種和娜恩母親種下的向日葵花田，對娜恩來說也極具意義。

「潘小姐，華特先生已在館內恭候你大駕光臨，請跟我來。」人魚度假村的負責人，同時是蒙

面男爵的保鏢，束著緋紅色長髮的蕾安娜出來迎接娜恩。

在人魚島上，蕾安娜暗中幫助了況佑南，她曾經在佑南家族經營的武館修煉，是佑南的大師姐。

娜恩點頭示意，急不及待再次和蒙面男爵會面；她有很多問題想問、有很多謎團未解。

美術館內沒有其他客人，蒙面男爵為了和娜恩見面，刻意讓美術館不對外開放。

「華特先生，潘小姐來了。」蕾安娜帶領娜恩和北辰到蒙面男爵面前，他正在欣賞一幅極具東方特色的風景畫，畫中最引人注目的，是當中的城堡。

「潘小姐，幸會。我是這美術館的館長，華

特。」蒙面男爵態度友善。

「別再裝模作樣了，蒙面男爵。」娜恩不打算轉彎抹角，她有迫切需要的東西。

「原來娜恩你是個心急的人呢……心浮氣躁的人，是很難看清真相的。」蒙面男爵露出狡猾的笑容。

「你一早已猜到我會來找你嗎？」娜恩十分警惕，蒙面男爵給予她深不可測的印象。

「既然你從人魚島上得到了聖物，那可想而知，你是為了保護人魚島而來找我的吧？」娜恩正想前往人魚島之際，校方剛巧安排夏令營在人魚度假村進行，這一切也不是巧合，而是蒙面男爵在暗中操控。

「我要買下人魚度假村的經營權。」娜恩要兑現向伊莉族人許下的承諾。

「娜恩真是個善良的孩子呢，但我不缺金錢，而且我沒有出售人魚度假村的打算。」蒙面男爵掌握了主導權。

「我不是小孩子。你要怎樣才願意和我交易？」娜恩知道蒙面男爵一定有想從她身上得到的東西。

「雙魚座的魔笛。」蒙面男爵以貪婪的目光凝視著娜恩。

「你要我用聖物來作交換？」對娜恩而言，這交易一點也不划算。

「放心，我不會要你做賠本生意的。我有一件急需用到雙魚座的魔笛來解決的事情，你只要借我一用，我就答應把人魚度假村轉贈給你。」蒙面男爵時而認真，時而嬉笑。

「只須要這樣就可以？」娜恩十分意外，她本以為要付出龐大資金。

「小姐，慎防有詐。」北辰提醒娜恩。

「看來你們對我有所誤會呢……我們都想集齊十二件聖物，在這一方面我們的確是競爭對手。」蒙面男爵接著說。

「但和我們目標相同的人還有很多，單靠一個團隊要集齊十二件聖物，幾乎是不可能的任務。所以我們雖然是競爭對手，但有時候，亦可以是合作夥伴。」蒙面男爵釋出善意。

「在你襲擊學園的時候，是刻意把水瓶座的魔法筆遺留下來的嗎？」娜恩問。

「那是我對你們的考核，而通過考核的獎勵就是水瓶座的魔法筆。」蒙面男爵須要確認四騎士的實力，看看他們有沒有資格成為他的夥伴。

「若沒有聖物在手，要得到其他聖物只會難上加難，你在人魚島上已深深體會到了吧？」若不是受聖物保護，娜恩也會被魔笛的聲音影響，而陷入恐怖的幻覺中。

「就算我們合作，你我之間最終也只有一個人能擁有十二件聖物，那是我父母生前集齊的東西，我是絕對不會讓步的。」娜恩由始至終也沒有想過會和他人合作。

「那就待我們真的集齊所有聖物後再作打算吧……已經找到聖物的人，數量被你想像的還要多。」蒙面男爵嚴肅的説。

「我就姑且相信你一次，暫時和你合作。」娜恩取出雙魚座的魔笛，並交到蒙面男爵手上。

「合作愉快。為紀念我們首次合作……我給你一個關於聖物的情報吧。」蒙面男爵指向他身邊的畫作。

「這座城堡裡，很可能存在著聖物。」蒙面男爵說。

「既然你知道的話，為什麼不自己去搜查？人魚島上有聖物你也是事先知道的吧？還有藍寶石吊墜，為什麼會在你手裡？你到底……」娜恩還有很多問題未問，但蒙面男爵舉起食指打斷娜恩的發問。

「若由我去奪取魔笛，伊莉族人恐怕不惜犧牲性命亦不會輕易交出來，血流成河不是我想要的結果……所以每件事情，也應該由適合的人去做。」蒙面男爵知道的事比娜恩所知道的多。

「而世上是沒有免費午餐的，若你想在我身上得到更多答案，便請你拿出吸引我的東西來交易吧。」蒙面男爵說。

「北辰，這裡已沒有我們需要的東西，我們回去吧。」娜恩轉身離開，雖然是合作的關係，但娜恩知道不能完全信任蒙面男爵。

一直保持沉默的蕾安娜，待娜恩離開後終於開口說話。

「男爵，這城堡中的聖物，為什麼不由我們去調查？」蕾安娜問。

「這座城堡是有很多靈異傳聞的地方，露娜和露比最害怕和幽靈鬼怪有關的故事，所以……這一次還是交給娜恩調查吧！」蒙面男爵十分寵愛他家的孖生姊妹。

而害怕幽靈鬼怪的，除了露娜和露比，還有深信科學理據的西門學，他們三人之間存在著密切的關係，只是阿學現在還未回想起來。

CHAPTER 2

夢境中的森林

翌日，凌東的傷勢雖未痊癒，但已沒有生命危險，並在任北辰的迎接下回到古老大宅。

「辰哥，聖物的力量這麼不可思議，我們真的有能力保護小姐嗎？」凌東在人魚島一役中不僅僅在肉體上受到打擊，心靈上同樣受創。

「收集聖物和保護小姐，兩者也是老爺生前的委托，缺一不可……再者，就算我們勸告小姐別再參與調查，她也不會退出的。」連面對曾襲擊學園的蒙面男爵，娜恩也無畏無懼，北辰意識到，這可能是危險的訊號。

凌東的自信心變得愈弱，娜恩的自信心卻愈來愈強，四騎士和千金的心態，在不知不覺中已產生了變化。

「但是……阿東你也不用太過擔心，我是不會讓小姐受到傷害的，還有佑南和阿學也一樣，你不是孤軍作戰的。」北辰打開大門，這裡是他們的大本營，是他們和最信任的人一起生活的家。

廚房內，娜恩、佑南和阿學正忙碌得頭頂冒煙。

「佑南，不用這麼久的！」娜恩攔阻站在焗爐

前調校時間的佑南。

「是嗎？食物一定要煮熟才能吃啊……」佑南抓著頭皮說。

「阿學！你已經打爛第三個碟子了！」娜恩氣憤的說。

「對不起……」愈幫愈忙的阿學不知如何是好。

「主人，不如大家到客廳就座，廚房的工作就交給我吧？」由阿學製造的人工智能機械人——阿爾法看不過眼。

「不可以！食物一定要親手製作，才能向吃的人傳達心意。」縱然廚房變得一片混亂，娜恩仍十分堅持。

「只須要加熱和擺盤，你們竟也能弄得一團糟……還是讓我來吧。」這些食物，其實都是北辰

提前準備的。

「大家在幹什麼？」剛步入廚房的淩東一頭霧水。

「小姐想在你回來的時候舉辦出院派對為你慶祝，我們也想出一分力嘛。」佑南在吃這方面很能幹，但家政方面完全零分。

「為我……慶祝嗎？」慶祝活動，對淩東而言是十分陌生的事。

淩東的過去充滿了戰爭，就算戰爭得到勝利也不是值得慶賀的事，因為伴隨戰爭導致無數無辜百姓喪生和受累。

「在人魚島上，若不是有你拼命守護我，後果不堪設想……所以我也想為你做點什麼。」娜恩害羞得垂低頭，淩東奮不顧身的帥氣樣子她還歷歷在目。

「謝謝小姐，但這是我該做的事。」淩東沒有表現出雀躍，反而顯得心事重重。

在人魚島上，為了對抗魔笛的力量，淩東受傷匪淺，現在的身體狀況大不如前，如果強大的敵人突然出現，他沒有信心能好好守護娜恩。

「大家暫時放下聖物的事，好好放鬆心情，享受當下也是一件十分重要的事呀！」北辰捧出熱騰騰的飯菜，香味四溢令人垂涎三尺。

唯有在該拚盡全力時毫無保留，在該休養生息時屏除雜念，這樣四騎士才能伴隨千金走完集齊十二聖物的漫漫長路。

翠綠的森林內，年幼的娜恩跟隨在母親身後，

她的一雙小手穿戴著黑色絲質手套，為免帶來厄運的力量危害到母親。小娜恩不敢牽住母親的手，就算多渴望得到擁抱，小娜恩也一直忍耐，把心願埋藏心底。

「娜恩，快過來看看！」娜恩繼承了母親的美貌，卻沒有繼承她燦爛動人的笑容。

「你看，牠們一定和我們一樣，是一對相親相愛的母女。」娜恩的母親指著不遠處一大一小的斑鹿，斑鹿戒心很重，貿然接近會把牠們嚇跑。

小娜恩兩眼發亮定神觀看，她很喜歡斑鹿，很希望像牠們一樣，和母親依偎在一起。

「你想走近一點細看牠們嗎？」娜恩母親的聲線是溫柔的、令人產生安全感的。

「不可以走近的，會嚇怕她們的。」小娜恩縮起雙手搖頭拒絕，她不希望打擾到斑鹿，更不希望不幸降臨到牠們身上。

「任何事情也是有可能的。」娜恩的母親取出一個雕刻了獅子頭部的襟針，並且別在小娜恩的衣服上。

神奇的一幕發生在小娜恩的眼前，除了面前的兩隻斑鹿正慢慢靠近，松鼠、鳥兒、狐狸、兔子……在森林內棲息的更多動物也紛紛走出來接近她們。

「娜恩，你要謹記……無論在什麼時候，無論遇到什麼情況，也不要放棄希望。」娜恩的母親眼神充滿憐愛。

「我也一樣，不會放棄希望，一定會找出能消除你身上神秘力量的方法。」娜恩的母親再也忍不住擁抱她深愛的女兒，眼角更泛起淚光。

小娜恩在感受母親的溫暖，同時聽到腳步聲從後而來。

「原來你們在這裡。」男生的聲線和娜恩另一個夢境中所聽到的一模一樣。那個在地下室牽起娜恩小手的男生，同樣出現在這個地方。

「媽媽……」娜恩從夢裡醒來，臉龐上已多了兩行淚痕。剛才的夢境是她塵封多年的一段回憶，一段她不曾想起的回憶。

娜恩望向窗外，今天的晨光和夢中的十分相似，她走到窗前淋浴在陽光下，想像這是母親的擁抱所帶來的溫暖。

CHAPTER 3

旭日城

娜恩做了一個美好的夢，睡得香甜；而凌東卻輾轉反側，徹夜未眠。凌東一早起來，便不理娜恩叮囑，開始體能訓練。

「嗄……不行，比往常的紀錄慢了很多。」凌東在古宅外圍的山路跑步。

不只紀錄變慢了，肌肉撕裂般的痛楚也十分強烈。要恢復原來的狀態，淩東的身體需要靜養多一至兩星期，但他不願停下腳步，也不希望延誤找尋聖物的任務，所以沒有向娜恩坦白自己的身體狀況。

自從娜恩在蒙面男爵的口中得到了聖物的線索後，西門學和任北辰已經在密鑼緊鼓，搜集相關的資料，並在昨天晚上進行會議。

古宅的地下室內。

「旭日城……是歷史悠久的文化遺產，但這座城池並不對外開放，因為它流傳著不可思議的都市傳說。」阿學的黑眼圈十分大，邊打呵欠邊向大

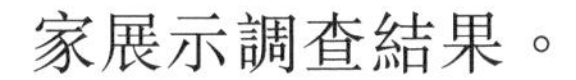

家展示調查結果。

「旭日城？這豈不是我故鄉的名勝古蹟嗎？」佑南的出生地是武術之鄉，也是戰國時期君王所居住的城堡所在地，這城堡就是旭日城。

「佑南，你有進入過這城堡嗎？」娜恩問。

「沒有……在我小時候，老爸已千叮萬囑我們不要偷偷跑去城堡那裡玩，他說那裡是個受到詛咒、十分不祥的地方。」佑南說。

「不祥的地方？」娜恩覺得這和她帶來不幸的力量十分相似。

「有偷偷潛入過城堡的遊客在網上謠傳，在旭日城內看見已故武士和將軍的幽靈……當然……這一定是假的。」阿學故作冷靜，但其實他最害怕的就是鬼故事。

「這和人魚島的情況很相似，科學解釋不到的神秘現象，很可能就是聖物的力量作祟。」淩東說。

「對呀，所以……世上是沒有鬼的，一定是和聖物有關，對嗎？」阿學迫切想要得到答案，提心吊膽的他昨晚沒有一覺好睡。

「說不定真的有鬼呢……阿學你看看後面！」佑南誇張地高聲說，他喜歡捉弄自己的弟妹，而阿學就像他的弟弟一樣，疑神疑鬼。

「你別嚇阿學啦！總而言之……我們的下一個目的地就是佑南的故鄉。」娜恩也把阿學當作弟弟般照料，但顯然她比佑南更疼愛弟弟。

「那裡距離我們的城市很遠，乘坐火車的話也要一天才能到達，現在正值暑假期間，大家準備就緒便能隨時出發。」北辰説。

「但我……明天約了露娜和露比。」阿學尷尬地說。

「是約會嗎？阿學你終於鼓起勇氣了嗎？實在孺子可教。」佑南繼續捉弄阿學。

「相比起暗中用電腦調查同班同學，這的確是一大躍進。」淩東也加入欺負阿學的行列。

「不是你們想的那樣啦！我只是去答謝她們在人魚島上對我們的幫助呀！」阿學老羞成怒。

「阿學你不用害羞，你這樣做是對的，是個很紳士的舉動，她們也一定會感受到你的心意。」娜恩不自覺地加入了佑南和淩東的陣營。

「真的不是這樣啦！」阿學有口難辯。

「那明天就自由活動吧，我希望在出發前找到

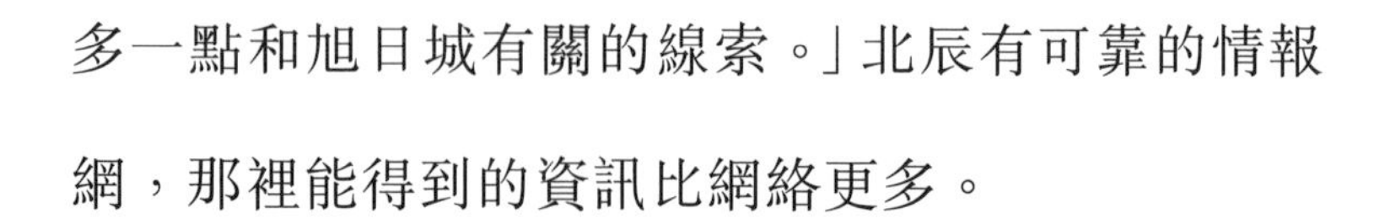

多一點和旭日城有關的線索。」北辰有可靠的情報網，那裡能得到的資訊比網絡更多。

看到大家興致勃勃，淩東更不想因為自己的身體狀況拖累大家，令自己的壓力愈來愈大。

山路上，淩東本想再多跑一圈，但從後而來的殺氣卻刺激了他敏感的神經，立即轉身防備。

淩東擋下沉重的踢腿而退後數步，施襲者快速追趕，密集的拳擊突破了淩東的防守，施襲者明明可以趁機施以重擊，卻突然停下了動作。

「肌肉笨蛋……你到底想幹什麼？」淩東氣急敗壞地問。

「你果然有古怪……不只動作遲鈍了，力度也弱了很多。」娜恩沒有察覺的事，被每日和淩東針鋒相對的況佑南發現了。

「不用你管……」淩東別過臉去，能和淩東打得平分秋色的佑南心中有數。

「我當然要管呀，這關乎小姐的安全，不單單是我們之間的問題。」雖然兩人常常爭吵不休，但佑南也是把守護娜恩放在首位的人。

「嘖……」淩東無法反駁。

「讓我看看，是強行對抗雙魚座的魔笛所造成的創傷吧？」自小習武的佑南經常受傷，久而久之就成了治理外傷的專家。

「痛痛痛痛！放……放手！」淩東叫苦連天，佑南用力替淩東進行按摩。

「肌肉撕裂，難怪你這麼軟弱無力。」佑南沒有理會，繼續施力。

「你說誰軟弱無力？待我痊癒後再好好教訓你一頓。」凌東無法掙脫，唯有讓佑南繼續。

「幸好這不影響你使用槍械，我會一些不需要力氣也能好好發揮的武術，像是柔道、太極之類……須要我教你嗎？」佑南成績包尾，但在武術方面可說是博學多才。

「可……可以嗎？」凌東頓覺身體變得輕鬆，肩上的壓力也有所釋放。

「以你的武術根基，要學會應該並不困難。」佑南其實不討厭凌東，只是喜歡和他作對罷了。

「我有一件事想拜托你。」凌東認真地說。

「什麼？」佑南問。

「我的身體在短時間內也難以回復狀態，在這期間……貼身保護小姐的重任便交給你了。」凌東能信任的人，就只有同一屋簷下的其餘三位騎士。

「不用你拜托，我也會好好保護小姐呀，所以你就算康復不了也不用擔心！」手部按摩結束後，便輪到腳部按摩了，佑南把凌東摔倒地上，並抓住他的腳踝。

「腳板底就不用了……」外表冷酷的凌東十分怕癢。

「不用跟我客氣啊，腳底的穴位是十分有效的。」凌東愈是抗拒，愈能挑起佑南的戰意。

「你們……我……我不打擾你們了！」除了凌東和佑南外，娜恩也養成了晨跑的習慣，並剛好在山路上遇到打鬥中的兩人，正想向他們打招呼，

卻看見眼前的這一幕。

「不！小姐，你沒有打擾我們呀！」凌東拼命叫喊。

「小姐！你誤會了啦！」佑南正想解釋，娜恩已經走遠。

凌東總算放下心頭大石，就算前往旭日城的路途險惡，他也有並肩作戰，值得信賴的好夥伴。

CHAPTER 4

芙蘿拉盜賊團

任北辰穿過小巷，來到古董店所位於的大街，這人跡罕至的區域今天比往常熱鬧得多。因為火警吸引了平日甚少出現的居民到場觀望，他們都知道這次火警並不是意外造成，而是有人蓄意縱火。

這裡是活在地下社會人士所聚集的區域，從來沒有人斗膽在此造謠生事，但今日卻有一間店舖被蓄意破壞。

「是古董店……星婆婆呢？」北辰專程來找情報販子希望獲得關於旭日城的情報，怎料她的古董店竟變成一片火海。

「這邊。」一個陌生的小女孩突然拉住北辰的衣袖。

「小朋友……你是？」北辰一臉問號，小女孩默不作聲，拉著他想要避開人群。

北辰只好跟隨小女孩走進窄巷，她的衣著總令北辰覺得十分眼熟，像古董店裝潢的獨特風格。

「是我——星婆婆。」待小女孩確定四野無人，才開口向北辰說話。

「星婆婆？她可是位老人家啊，怎會搖身一變，變成像十歲左右的小女孩？」北辰驚訝地問。

「情報販子的真實身份從來都是不可告人的秘密，星婆婆只是其中一個我用來接待客人的形象。」地下社會危險處處，每個生活在其中的人也絕非泛泛之輩。

而任北辰，曾經也是活在這個世界的一分子。

「所以我眼前的小女孩，也不是星婆婆的真正面貌吧？」北辰問。

「無可奉告，請問我有什麼能幫到客人你呢？」星婆婆面帶微笑，態度不再像個老邁的長者。

「我是來調查旭日城和聖物的關係，但古董店卻在這時候被燒毀……到底是什麼人幹的？」情報販子的店遭受燒毀，北辰估計事情並不簡單。

「對十二聖物感興趣的人已愈來愈多，當中不乏不擇手段的危險人物……他們不希望和聖物有關的情報有更多人知道，所以把我當成目標。」幸好星婆婆警覺性高，才沒有和古董店一起付之一炬。

「和我們一樣在搜集聖物的人已開始行動了嗎？」這比北辰所預計的來得更早。

「你們的一舉一動，地下社會的人都在密切留意，人魚島的一役令他們知道十二聖物不再是神話或傳說……而是真實存在的，力量足以改變世界的寶物。」星婆婆嚴肅的說。

「爭奪十二聖物的鬥爭已經開始了……你和星辰集團的千金還是儘早收手吧。」星婆婆相信情況會變得愈來愈危險。

「不，無論是我還是娜恩，也有必須收集聖物的理由。」雙魚座的魔笛吹奏的笛聲，能挖出聽者最恐懼的回憶化成幻覺。北辰所看到的，是他無法拯救的心愛之人。

「人死不能復生，你還要繼續執迷不悟嗎？」星婆婆和任北辰相識已久，她知道北辰的所有秘密，當中有些是北辰不能讓娜恩知道的事。

「這是我活下去的理由。」對凌東而言，保護娜恩才是人生意義，但對北辰來說，卻絕非如此。

「不聽老人言，吃虧在眼前啊。」星婆婆說著這番話，身體卻像個十歲的小女孩。

「我會小心行事的。」北辰心意已決，問題在於不能被娜恩發現。

「最後……我給你一個情報吧，燒毀古董店的犯人也在調查旭日城和聖物的關係，她們可不是一般的對手啊……」星婆婆皺起眉頭說。

「她們是？」北辰問。

「她們……是『芙蘿拉盜賊團』中盛放的鮮花啊。」星婆婆說。

芙蘿拉在羅馬神話中，是代表花朵、青春和歡樂的女神。但在地下社會活躍的「芙蘿拉盜賊團」並不是代表這些美好的東西，而是美麗而危險的犯罪分子。

人來人往的商店街內，西門學正站在一角躲避猛烈的陽光，他不喜歡人多熱鬧的場所，須要購物時他都會透過網上平台，並郵寄到家門前。

「露娜和露比遲到了……」阿學已等候十五分

鐘，但跟他約好了的孖生姊妹還未出現。

「主人，女性出門所需的平均時間普遍比男性長，請耐心等候。」阿爾法透過阿學戴著的智能手錶和他通話。

若不是在人魚島上欠了露娜和露比的人情，答應陪她們遊玩一天作為回報，阿學也不願在假日出門。雖然不至於社交恐懼，但阿學確實不太願意和別人交流。

「問答環節！我們之中誰是露比？誰是露娜！」孖生姊妹刻意穿上相同的服飾，想要考驗阿學。

「左邊是露娜，右邊是露比。」阿學短短看了幾眼已能分辨出來。

姐姐露娜沉默寡言，妹妹露比活潑好動，但

兩人的長相一模一樣，就像一對漂亮精緻的洋娃娃。

露比拍手叫好，拉著姐姐環繞著阿學跑了幾圈後又再重來。

「和剛才一樣……這遊戲有什麼好玩嗎？」阿學再以秒速答對，在旁人眼中兩姐妹明明沒有一點分別。

「真厲害……除了男……不，爸爸外，沒有人能這麼快分辨出來。」露娜冷淡地說。

「對啊，連蕾安娜姐姐也常把我們弄錯呢。」露比嬉笑著說。

「你們不用再裝了，我已知道你們是蒙面男爵派來接近小姐的人。」阿學在人魚島上見識到兩姐妹非比尋常的身手。

「被識穿了也無所謂啦，反正男爵和你家小姐已暫時結為同盟。」露比說。

「你們……到底想從我身上得到什麼？」阿學認為她們是想從自己身上得到娜恩的情報。

「我們想逛街、購物，還有什麼？」露比問姐姐。

「雪糕芭菲。」露娜說。

「吓？」阿學一臉莫名其妙的表情。

「事不宜遲，走吧！」露比和露娜一左一右，挾著阿學開始今日的約會行程。

三位十二歲的孩子擁有比同齡孩子高的智商和特殊天賦，但他們的骨子裡其實還是個小朋友，簡簡單單的東西就能令他們十分快樂。

「我們這樣跟蹤他們，好像不太好吧？」不遠處的牆壁後，娜恩、佑南和淩東喬裝成偵探暗中監視。

「小姐你這樣想就不對了，我們是為了保護阿學才跟蹤他們的。」發起跟蹤行動的人是佑南。

「沒錯，兵不厭詐，這對孖生姊妹很有可能在騙取阿學的信任。」淩東同意這次行動。

「不……我覺得這樣更像是我們欺騙阿學的信任，我相信阿學的判斷能力。你們也不要這麼八卦，回去吧。」娜恩轉身離開，她相信阿學，相信守護她的四騎士，隱瞞和欺騙是她最討厭的行為。

「小姐，等等我們！」淩東和佑南唯有放棄這個能拿來取笑阿學的機會。

信任是人與人之間美好的事，但是每個人的內心也有秘密，有不想被人知道的事情。阿學也是一樣，只是他現在還未能回憶起自己不可告人的秘密。

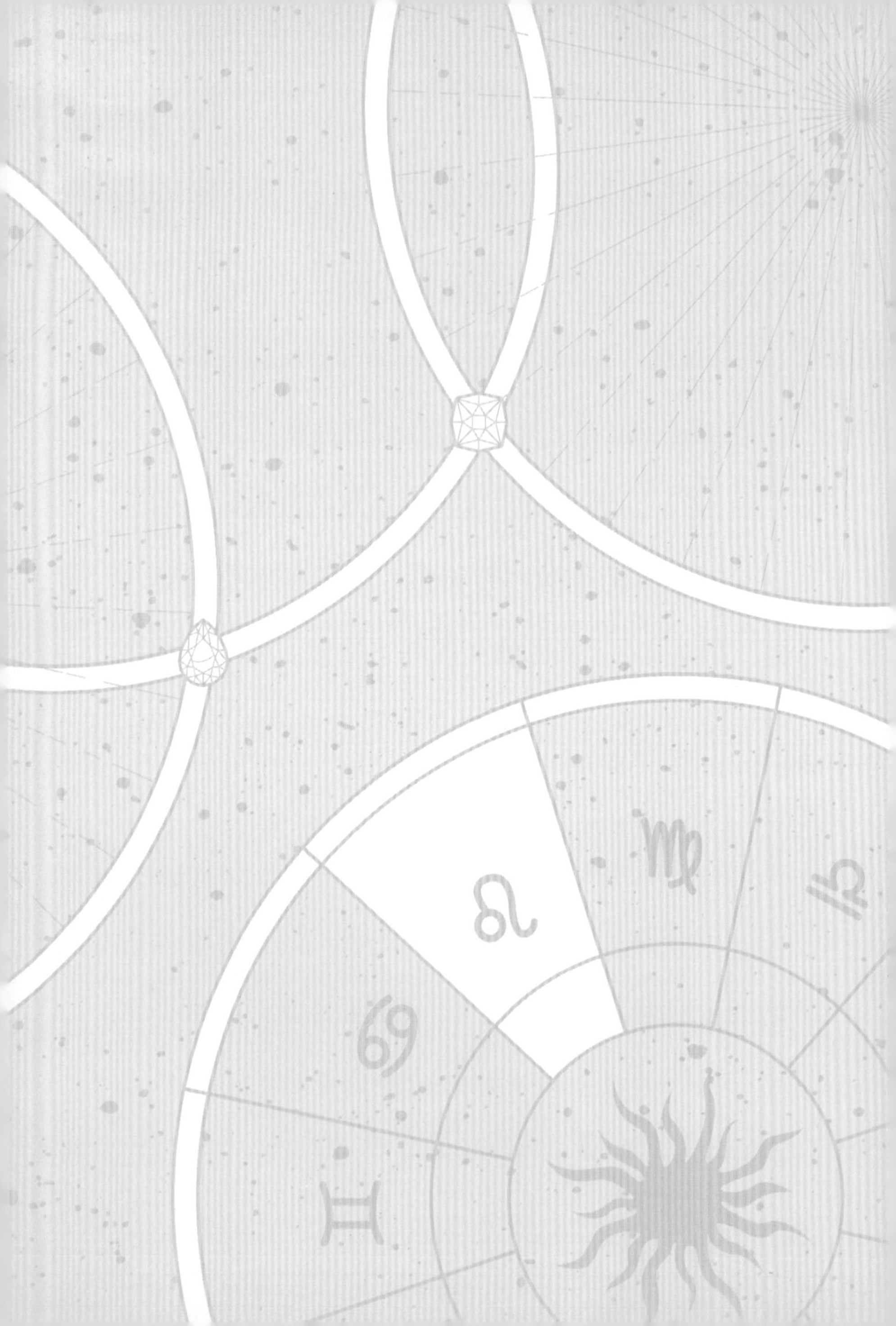

CHAPTER 5

前往東方的火車

甜品餐廳內，阿學已疲憊不堪，露娜和露比安排的行程，比佑南安排的訓練更要命。

「超巨型雪糕芭菲！」露娜和露比期待已久的甜品是這裡的招牌名菜，巨型的雪糕芭菲放滿了餅乾和水果。

「你們的體能真好……竟然還有胃口吃這巨大的東西。」阿學癱倒桌子上。

「正因為體力透支，才要補充體力。」露娜說。

「你還是和以前一樣體弱多病呢，這樣怎保護你家的小姐？」露比說。

「以前？我們有碰面過嗎？」阿學不記得曾見過這對孖生姊妹。

「你不記得就算了吧！你這孱弱的傢伙，去到旭日城肯定會被妖魔鬼怪嚇得昏迷不醒呢。」露比取笑著說。

「那些妖魔鬼怪……不過是謠傳罷了！肯定是假的，是聖物造成的現象！」阿學驚惶失措。

「有沒有聖物就不得而知了，但有幽靈的傳聞真的有很多啊！」露娜接著說。

「畢竟在戰爭爆發時，有很多人在城堡內喪命嘛，他們為保護君王而被活活燒死。聽說時至今日，晚上的旭日城還會傳出那些幽靈的叫喊聲。」露比愈說愈興奮。

「那裡……真的有這麼恐怖的嗎？」阿學畏縮的樣子，令露比覺得十分可愛。

「對呀，很多人一去不返的啊……」露娜也十分享受。

「你們……不害怕嗎？」阿學問。

「害怕呀！所以這一次我們不會去旭日城了，這麼恐怖的地方就留給你們慢慢遊覽吧！」露比笑著說。

還未正式出發，阿學已被嚇得提心吊膽。到底真相是鬼神作祟？還是十二聖物的影響？唯有親身踏入謠傳眾多的旭日城，才能找到答案。

火車站內，娜恩和四騎士整裝待發，前往東方的火車車程長達一天，他們會在火車上渡過一個晚上，火車內設有充滿古典風格的豪華包廂，床鋪設備一應俱全。

「嘩……好漂亮。」娜恩十分驚喜，包廂裝潢格調高雅，闊大的玻璃窗美景盡收。

「大家在這裡好好休息吧，明天一早便會到達目的地。」北辰特意安排最好的火車，車上更有保安員確保乘客安全。

北辰自從和星婆婆見面後，便一直心不在焉，他擔心星婆婆口中的「芙蘿拉盜賊團」隨時出現。

「我是第一次坐火車回老家呢！這沙發真舒適。」佑南笑著說。

「那麼你是乘坐什麼交通工具往返的？」旭日城位置偏僻遙遠，凌東好奇的問。

「用腳呀，大概要跑三天左右吧。」佑南的答案令凌東無言以對。

「我是第一次去這麼遠的地方……大家在旅途中是怎樣渡過的？」美麗的景色令阿學暫時忘記恐懼。

「這時候最適合的，就是玩撲克牌了。」北辰拿出早已準備好的撲克牌。

「但這是四人遊玩的遊戲吧？」阿學問。

「你們和小姐玩吧，我還想週圍看一下。」北辰還是不放心，唯有親自視察環境才能確保娜恩的安全。

雖然是暑假期間，但前往旭日城的火車乘客並不多，北辰在火車包廂之間走著走著，不禁回想起昔日往事。

「跟我遠走高飛，你不會後悔嗎？」同樣在火車上，北辰凝望著身邊的女生。

「嗯！」女生肯定的答覆和燦爛的笑容，曾是北辰的救藥。

「那……請你嫁給我好嗎？」北辰取出求婚戒指並單膝下跪。

「我願意。」車窗外的陽光再耀眼，也不及女生幸福的表情奪目。

北辰和戀人私訂終身，答應她會為她帶來美滿幸福的日子，但北辰未能守住這承諾，這是北

辰無法接受的事。

唯有十二聖物的力量能打破常規界限，北辰親眼目睹過水瓶座和雙魚座兩種聖物的神奇力量，所以他確信只要繼續尋找，一定會找到能起死回生的聖物。

在回憶中恍神的北辰不知在火車上走了多久才回到包廂，甚至沒有察覺到和他擦肩而過的少女，正默默留意著他。

快樂不知時日過，包廂中四人玩著撲克牌，不知不覺已日落西山。

「不玩了……」娜恩一臉委屈，難過的說。

「小姐的運氣真的很差呢……」娜恩二十連敗

的紀錄，令佑南大開眼界。

「我就說我最不擅長玩撲克牌呀……」厄運纏身的娜恩無論是玩潛烏龜、廿一點還是鬥大小，也難敵不幸的力量，盡是抽得一手爛牌。

「是阿學不好，每局遊戲也是阿學得到勝利的。」凌東把令小姐不愉快的矛頭指向阿學。

「撲克只是簡單的數字遊戲和心理遊戲呀，只要冷靜計算就能得到勝利。」作為數理邏輯的精英，西門學自豪的說。

「你這囂張的小鬼，是想說我們都比你笨吧？阿東，教訓他！」佑南老羞成怒，雖然頭腦不及阿學，但兩位大哥哥的體能比他好上百倍。

「膽敢說小姐笨，不可以饒恕。」凌東摩拳擦掌。

「你們在幹什麼？我們明天還有很多事情要辦啊，還不早點休息嗎？」監護人北辰和推著餐車的火車服務員，把晚餐送到包廂。

飽餐過後，眾人在包廂內入睡。明天一早，他們便會抵達旭日城所在的城市。玩樂過後，大家很快熟睡過去，但這並不是自然的事，而是受特製的玫瑰花香所影響，令人安睡入眠。

CHAPTER 6

玫瑰大盜

前往東方的火車上，全部乘客也睡著了，除了站在娜恩包廂外的神秘少女，紅色頭髮的她穿著貼身的服裝，手上的瓶子釋放出鮮紅色的迷霧，籠罩車廂內部。

「帶著聖物的千金和她的守護騎士，你們好好熟睡了嗎？」神秘少女親切的笑著，並拿出開鎖的工具熟練地操作，話語剛落便打開了包廂的大門。

四騎士和娜恩都酣然入夢，沒有察覺到外人闖入。玫瑰花的香味有安神的作用，由神秘少女特製的玫瑰花香水，連無時無刻提高警覺的四騎士也難以抵抗。

「這麼重要的聖物，竟放在如此當眼的地方，替我省下不少時間和功夫呢！」少女盯住放在娜恩襟袋的聖物——水瓶座的魔法筆。

「聖物我就收下了，祝各位能發個好夢。」少女輕鬆完成任務，轉身步出包廂。

「且慢⋯⋯」香水雖然十分有效，但佑南及時從夢中甦醒過來。

「真令人難以置信，我特製的玫瑰香水竟然對你無效？」少女感到意外，她的得意絕活竟被化解。

「阿嚏！我的鼻子天生對花粉過敏……你的香水實在太過刺鼻了。」錯有錯著，佑南反被刺激得從夢中醒過來。

「乖乖把魔法筆交還，否則……就算是女生也別怪我不客氣。」佑南蓄勢待發，他能看出面前的少女身手不凡。

「不只是個帥哥，還是一個紳士呢……但想要回聖物，你得親自過來搶了！」少女奪門而出，在火車內和佑南展開追逐戰。

「站住！」佑南立即追趕，不只包廂內的眾人，整輛火車內的乘客都陷入深度睡眠。

武術之中，把身體內流動的氣勁儲積在一點，便能爆發出難以估計的力量，佑南從小便鍛煉這方面的技巧。

「縮地！」氣勁從腳掌爆發，佑南在一瞬間縮短和少女之間的距離。

「捉到你了。」佑南和少女已在伸手可及的範圍。

「沒有這麼容易，薔薇飛鏢。」少女一躍向前，在半空中轉身向佑南投擲玫瑰花形狀的飛鏢。

「金剛！」氣勁集中在上半身，佑南得以強化肌肉來抵擋利器，迎刃而上。

「擒拿手！」佑南轉守為攻，快要捉住少女的右手。

「沒有得到女性的允許觸摸女性，是非常不禮貌的事啊。」少女身手靈活，一而再、再而三擺脱佑南的追捕。

「但要捉拿小偷，唯有請你多多包涵了。」佑南把少女逼到火車車尾，眼看少女無處可逃，除非她從後逃出高速行駛中的火車，但這是十分危險的行為。

「我不想傷害你，把小姐的魔法筆還給我吧，我答應你此事既往不咎。」佑南不忍少女受傷，但他有使命在身。

「你是個不錯的守護者，看來你家小姐……不是傳聞中那般不幸呢！」少女露出羨慕的表情，不顧後果向後跳出火車。

「笨蛋！掉下去會性命不保的！」佑南不經思索便跳出去，一手捉實欄杆，另一手捉緊少女的手腕。

「你果然是個善良的男生呢，但善良的男生普遍也比較笨。」少女嫣然一笑，手腕突然長出薔薇刺尖，刺得佑南鬆開了手。

「我是芙蘿拉的紅玫瑰——薇芙，我們會再見面的。」少女沒有掉到地上，她手上伸出的長鞭，捆綁住上方高高的樹枝。

佑南只能呆看著少女和自己的距離愈來愈遠，還未到達旭日城，四騎士和千金已遭遇敵人。

「又笨又善良的男生，是我喜歡的類型呢！」薇芙降落地面，準備檢查她偷來的戰利品，同時她的手機接到來電。

「是我，當然偷到手了啦！」薇芙，是芙蘿拉盜賊團的成員之一。

「哈哈……看來除了四騎士外，潘家的千金也不簡單呢。」薇芙還來不及高興，偷來的魔法筆已化作煙霧消散。

CHAPTER 7

武術世家（上）

翌日早上，大家在包廂醒來後，發現佑南正一臉懊悔的低頭跪地。

「小姐，對不起，是我失職了！」佑南向娜恩鄭重道歉，然後把昨晚發生的事，一五一十告訴大家。

「你不用道歉，被偷走的只不過是仿製品。」娜恩拿出早已收藏好的水瓶座魔法筆。

「什麼？」佑南感到錯愕。

「小姐早已料到會有人打她身上的聖物主意，所以用真正的魔法筆，畫出了一支仿製品。」淩東說。

「我的原意是想測試魔法筆的力量，如果我畫出聖物，那它又會否擁有同樣的神奇力量呢？」娜恩作過很多嘗試，但水瓶座魔法筆的效果有一定程度的限制。

擁有神奇力量的聖物、結構複雜的機械設備，水瓶座的魔法筆都只能呈現出其外表。反而天馬行空的幻想生物，水瓶座的魔法筆都能賦予它們短暫的生命。

「太好了……我還以為小姐重要的聖物已落入那個名叫薇芙的人手中。」佑南在和薇芙的單打獨鬥中雖然沒有落敗，但同時未有佔優。

「相信薇芙就是『芙蘿拉盜賊團』的成員，她和我們一樣，目標是前往旭日城尋找聖物。」北辰想起星婆婆提供的情報。

「是那個成員以花卉作為代號，在各國被通緝的女盜賊團隊嗎？」曾在世界各地執行任務的淩東對此略有所聞。

「對，有情報指她們也在收集十二聖物。」北辰說。

「盜賊團……那她們是不是和以怪盜自居的蒙面男爵一樣？」阿學問。

「不，蒙面男爵不是為金錢利益而偷竊，更多的是享受當中的樂趣……但芙蘿拉不一樣，她們只為個人利益而行動。」性情古怪的蒙面男爵常把偷來的財物捐贈派發。

把偷竊視為美學的「蒙面男爵」、對金銀珠寶情有獨鍾的「芙蘿拉盜賊團」，和以手段暴力見稱的強盜「魅影小丑」；三者都是在地下社會響噹噹的犯罪集團。

「雖然與蒙面男爵暫時停戰，但又出現了『芙蘿拉盜賊團』這新的敵人……」娜恩感到煩惱，他們的處境可算是一波未平，一波又起。

「前往旭日城的旅途上，我們很可能還會遇上她們，大家要提高警覺。」雖然被盜取的聖物是仿製品，但也證明北辰等人實在疏忽大意。

圍繞住娜恩身邊的都是對十二聖物虎視眈眈的人，單靠四騎士到底能抵擋多少風雨還是未知之數。

火車終於到達目的地，旭日城所在的小鎮是個富東方色彩的地方，建築物保留了古色古香的傳統設計。這裡民風純樸，人民對物質的追求不高，更多的是一心追求武術的修行者。

「唔……老家的空氣就是和城市不同！」沒有

過多的汽車和過度開發，佑南成長的地方是一片難得的淨土。

「不只空氣清新，街道更比城市乾淨，是個舒適的好地方。」娜恩十分喜歡這裡，有如走進時光隧道，回到過去。

「我們的衣著和這裡格格不入……很引人注目呢。」阿學感受到很多人的目光。

「放心吧！我已為大家準備好替換衣服，先到我家安頓下來吧！」這裡是佑南最熟悉的地方，他樂意一盡地主之誼。

況佑南的家族是經營武館的，況家武館代代相傳，是鎮上最有名氣的武術世家。氣派的武館門生眾多，經歷火災後幸得娜恩的父親仗義相助，現在武館的發展比過去更加成功。

在況家武館畢業的門生都成為了保鏢、警察，甚至為軍隊效力，所以不少人從城市遠道而來，拜師學藝。

「大家！我回來了！」佑南十分興奮，打開嗓門高聲呼喊。

「啊！是三哥回來了！」佑南的弟弟妹妹飛奔出門迎接。

況佑南在家中排行第三，上有一兄一姐，下有兩弟一妹，三個弟弟妹妹最喜歡佑南，因為佑南笑容爽朗，不會嚴肅對待他們。

「你們有長高嗎？有變胖嗎？」佑南對弟弟妹妹而言就像大樹，他們就像是爬上樹上的小熊貓。

「三哥你才離開沒多久啊，我們哪有這麼快長高。」十歲的四弟佑賢十分機靈。

「對呀，三哥是笨蛋、是傻瓜！」五歲的五妹佑希笑容甜美。

「三哥是笨蛋大猩猩！」四歲的六弟佑華天真活潑。

「他們都很聰明呢，不像這位哥哥……」阿學感慨的說。

「同意，而且形容得十分貼切。」淩東點頭認同。

「你們三個壞小鬼，看我把你們煎皮拆骨！」佑南裝出兇惡的模樣。

「走呀，被三哥捉到會變笨的！」三個小孩蹦蹦跳跳，亂作一團。

「哈哈，他們真的很可愛。」娜恩不禁笑了起來，自開始尋覓十二聖物之後，娜恩無時無刻也

警惕著，甚少露出笑容。

「看在小姐的笑容份上，就放過那三隻小猴子吧。」佑南看到娜恩的笑臉便感到滿足，他是為了守護這笑容而離鄉別井的。

「歡迎各位光臨，潘小姐還有她的護衛們。」佑南的二姐況佑香出門迎接，雖然她只比娜恩和佑南年長一歲，但十七歲的她已成熟而且有氣質。

「二姐，老爸呢？他有回來老家嗎？」佑南心急的問。

「沒有……他和你這笨蛋一樣，做事沒有交帶，三個月以來連一通電話也沒有打過回家！」但外表成熟只是假象，二姐佑香脾氣暴躁，是佑南最害怕的人。

「痛痛痛痛！」佑南被扭耳朵，他的父親在佑南開始保護娜恩的三個月前，已和家人失去聯絡，不知所終。

「各位，我們已準備好房間和膳食，請讓我來帶你們去好好休息。」變臉速度極快的佑香微笑著說。

「佑南哥的姐姐好可怕……」阿學保護著耳朵說。

「對呢……」凌東若有所思，他的養父兼教導他槍械使用技巧的隊長，也在三個月前和外界失去聯繫。

娜恩同樣心不在焉，她看著這武館的裝潢和格局，總覺得似曾相識，像是曾經到訪過這裡。

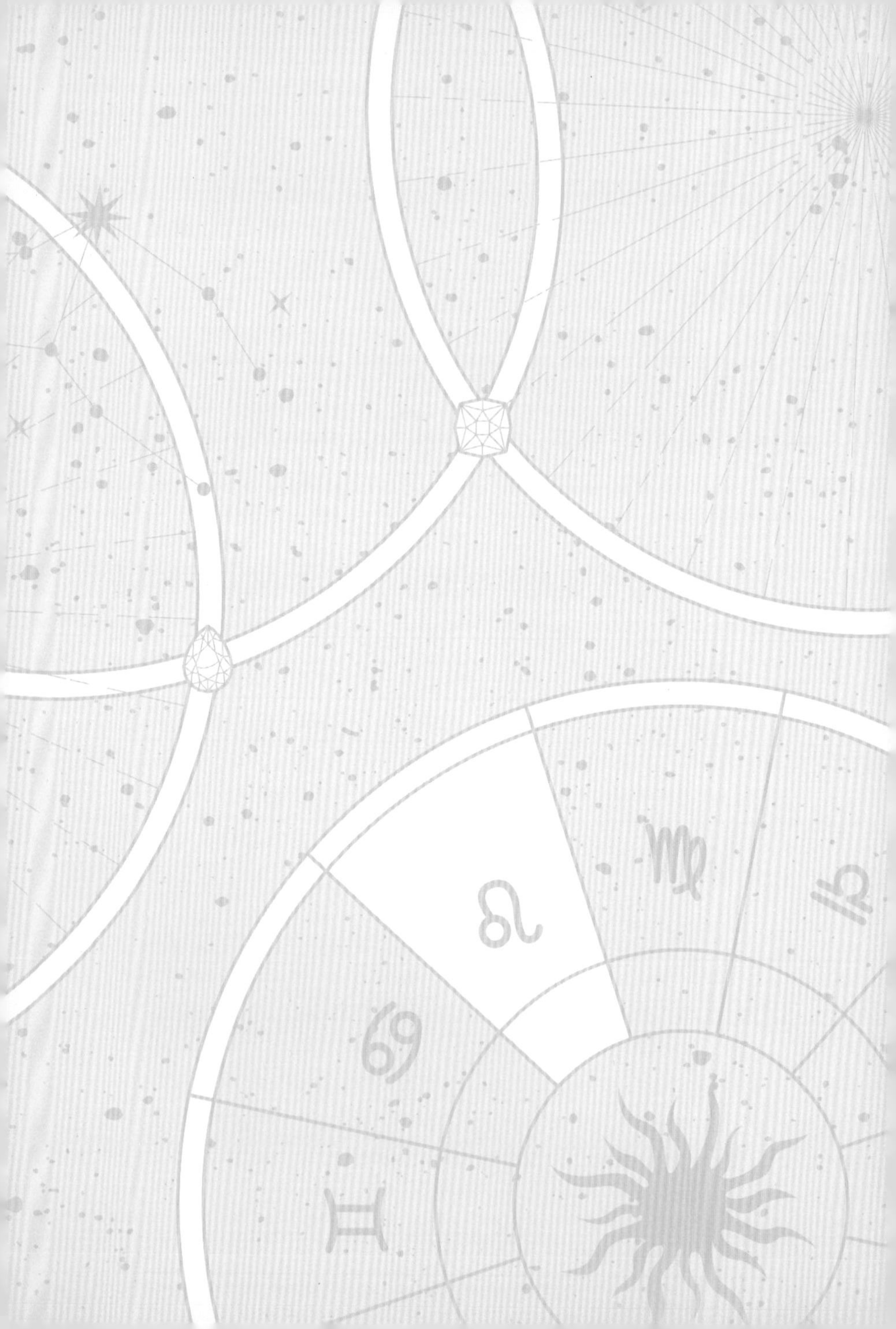

CHAPTER 8

武術世家（下）

換上舒適的傳統服飾後，娜恩等人朝宴會廳走去，佑南一家就住在這祖傳武館內。自從佑南的父親不知所終後，佑南的母親暫時代理當家一職，同時為門生和客人準備膳食。

「各位不用客氣，盡情吃啊！年輕人要吃多一點才快高長大的！」佑南的母親是爽朗率直，笑容滿面的人，佑南的性格和母親十分相似。

「這就是……傳說中的滿漢全席嗎？」長長的飯桌擺滿飯菜，足以供應二十人的食量，令凌東大為震驚。

「現在正值節慶日子嘛，在這裡每家每戶也會大排筵席。」說時遲、那時快，佑南已和弟妹一樣拿起碗筷進食。

「是什麼節慶日子？」娜恩好奇的問。

「本鎮每年均會在盛夏和寒冬舉辦兩次武術祭，現在適逢夏之武術祭，鎮上的習武人士都會踴躍挑戰各個武館，無論勝負，武館也會為挑戰者準備好豐富的飯菜。」佑香負責接待的工作，今年況家的武館特別忙碌。

「好像和萬聖節很相似呢，可以挨家挨戶索求糖果。」阿學對慶祝節日十分陌生，他未經歷過這種歡騰愉快的時光。

「最大分別在於武館會派出駐場武者，和挑戰者逐一挑戰，今年代表武館的是大哥嗎？」佑南東張西望，也未見大哥的蹤影。

「不，大哥擔心父親遭遇不測，便離開家鄉開始尋找他的蹤跡。」佑香招呼娜恩等人就座。

「很難想像老爸會遭遇不測呢⋯⋯大哥太杞人憂天了吧？」佑南雖已精通武術，但和父親的實力有著明顯的差距。

「我也是這樣對大哥說，但自從大師姐到訪過後，他便變得心緒不寧。」蒙面男爵麾下的蕾安娜，曾是佑南父親最得意的門生。

蒙面男爵和他身邊的人，總是和娜恩與四騎士有著千絲萬縷的關係。

「那現在由誰代表我們家武館呢？」佑南問。

「大家別顧著聊天了，快趁熱吃吧。」佑南的母親正想安坐下來，便被武館的弟子叫住了。

「師母，又有挑戰者來踢館了！」弟子說。

「我先去處理一下，很快便會回來。」佑南的母親微笑著說，其實這位代理當家的武術修為，比廚藝更精湛。

娜恩定神看著佑南的母親，腦海中閃過她與自己的母親有說有笑的片段。

飽餐過後，眾人在武館稍作休息，潛入旭日城的最佳時機是在今天晚上，節慶期間小鎮晚上都有慶祝活動，集中在市集進行，所以旭日城在這期間無人看守。

淩東被佑南的弟弟妹妹纏住耍樂，年紀小小的三人已有不錯的武功底子，要同時應付他們殊不簡單。

阿學和北辰在為今晚的行動作最後準備，檢查工具器材，一想到旭日城鬧鬼的傳聞，阿學又開始瑟瑟發抖。

娜恩在庭院看著高高的大樹，她為最近不時閃過的片段和夢境感到煩惱。到底哪些是真實發生過，哪些是她的幻覺，她愈來愈分不清楚。

娜恩偶然會覺得，像有人曾進入她的腦袋，

把她的記憶刪剪修改過。

「小姐，為什麼獨自呆坐在這裡？」佑南坐到娜恩身邊。

「沒……沒事。」娜恩一臉尷尬，不知道該如何說起。

「小姐很適合穿浴衣呢，我家的衣服都是母親親手做的，每次我在比武時弄破衣物，都會被她狠狠教訓一頓。」佑南笑著說，希望緩解尷尬的氣氛。

「你很喜歡和家人一起生活吧？」相比娜恩冷清的家，佑南的家庭樂也融融。

「有他們在絕對不會沈悶，不過常常會為小事而吵架啦！」佑南喜歡熱鬧的環境。

「為了守護我而離鄉別井，實在委屈你了。」

娜恩覺得十分抱歉，像是奪走了這家庭的成員。

「怎會呢？人唯有離開自己的舒適圈，才能開闊自己的眼界。」佑南沒有因為離開而感到寂寞，反而現在的生活令他眼界大開，例如擁有超乎常理力量的十二聖物。

「而且……在小姐身邊的每一天，我也很快樂。只不過如果小姐願意露出多一點笑容，就更加完美了。」佑南想輕拍娜恩的頭顱，但娜恩不經思索身體已自然退後。

「不要誤會……我只是不想厄運降臨到你身上。」娜恩也想被安慰、想感受別人的關懷，但她是不幸的化身，注定要與人保持距離。

「我相信，總有一天，我們會找到化解小姐你身上神秘力量的方法，畢竟……我們常常遇到無法解釋的事嘛！」佑南相信萬事皆有可能發生，在尋找聖物的旅程可能會找到解除詛咒的方法。

「謝謝你。」娜恩欣慰的微笑著，佑南如晨光的笑容和樂天的性格，常令娜恩感到溫暖。

成功捉到三個孩子，取得勝利後，凌東步向庭院找尋娜恩，想要告知她是時候準備出發。但看到佑南和娜恩相視而笑後，凌東不知道該不該上前打擾，只知道心裡產生了前所未有的感覺。

同樣在遠處靜靜觀察的，還有佑南的姐姐和母親。

「光陰似箭，他們全都長大成人了……真令人欣慰。」佑南母親所指的他們，包括了凌東。

「媽媽，我始終不贊成由佑南擔任潘小姐的護衛，他還未掌握到況家古武術的精粹……由他保護潘小姐，我怕他難以勝任。」在況家，實力高於佑南的大有人在，佑香是其中之一。

「佑南大概還未從那場大火的陰影中走出來吧……但我可以肯定，就算所有人反對，他最後還是會走向潘小姐身邊的。」佑南的母親打開手上的吊墜，內裡貼著一張顏色漸褪的舊合照。

合照上的是佑南和娜恩二人的母親，佑南的母親確實認識娜恩的母親，兩人更曾經情同姊妹，但她沒有告訴娜恩，因為那是需要由娜恩重新想起的事。

旭日城外，四騎士和娜恩已準備就緒，單單從外面去感受，娜恩已察覺到這地方有種不尋常的力量。

「阿學⋯⋯放鬆點，小姐是女生也沒有你這麼緊張。」阿學躲在北辰背後緊緊抓住他的衣服，教北辰哭笑不得。

「大家不害怕嗎？有可能會遇上幽靈鬼怪啊。」阿學問。

「如果是真的，我倒是有興趣親眼見識一下。」北辰若有所思的說。

淩東和佑南走在前頭，在昏暗而且充滿未知數的旭日城，團隊須要有人在前方探路，淩東撕開圍繞住旭日城的封條，幽靈城堡的冒險正式開始。

CHAPTER 9

幽靈城堡

經歷大火後的旭日城猶如廢墟，當地政府曾多次嘗試對它進行拆卸或復修，但每一次也以失敗告終，因為施工期間發生過太多靈異事件，故有「被詛咒的城堡」這個稱號。

「這裡……真的隱藏著聖物嗎？」阿學畏縮著問。

「既然發生過多宗靈異事件，就算沒有聖物也一定有什麼特別的東西存在吧……」荒廢的城堡內只有月光提供照明，幸好淩東等人都準備了手電筒。

「……例如幽靈！」佑南不時轉身嚇阿學。

「阿學，就算世上有幽靈，也不一定全部都會傷害他人的。」娜恩溫柔地說，這一點北辰十分同意，他相信他心愛的人就算變成幽靈也不會傷害他。

「他們生前和我們一樣有朋友、有家人、有想守護的東西，就算他們恐嚇活人，也一定是有原因的。」娜恩不害怕鬼神之說，只要理直氣壯，就無須覺得害怕。

「小姐説得對，在這裡死去的人，都是為了守護君王而犧牲的忠誠士兵和將領，這一點和我們是一樣的。」凌東為了娜恩在所不惜，騎士和武士有著相同的特質。

步步為營的五人踏上階梯，到現時為止他們也沒有發現聖物的蹤影。

「咔咔……」

凌東示意眾人停下腳步，他聽到微弱的碰撞和磨擦的聲音。

「咔咔……咔咔……」某件物品在地上滾動到阿學腳邊。

「原來是個頭盔，害我虛驚一場……」阿學以手電筒照亮腳邊，看到武士頭盔的背面。

但武士頭盔忽然轉了一百八十度，阿學能清楚看到骷髏頭骨在頭盔內，上下兩顎更不停開合，發出「咔咔」聲響。

「鬼呀！」才剛剛放鬆心情的阿學，這次真的嚇了一跳。

「咔咔！」更不可思議的，是這骷髏武士頭骨更彈跳起來，飛撲向手握水瓶座魔法筆的娜恩。

北辰及時作出反應，把骷髏武士頭骨像足球般踢開。

「這真的是鬼魂在作祟嗎？」北辰剛想走近仔細觀察。

「咔咔咔咔咔！」但更響亮的聲音從下層傳來，向娜恩等人接近。

「阿東，對手是幽靈的話就不用手下留情

了。」淩東和佑南看到更多的骷髏武士在爬上樓梯，兩人上前抵擋，為其他人爭取時間。

「辰哥和阿學，保護小姐退後。」淩東雙槍例無虛發，卻無阻骷髏武士的推進，娜恩等人唯有繼續向上前進。

「氣勁無法貫穿它們，怎會這麼奇怪的？」佑南打在盔甲上的拳擊如打在空殼上，就算頭骨和手部掉落地上，骷髏武士還是向他們步步進逼。

「物理攻擊沒有功效⋯⋯」已有骷髏武士穿過佑南和淩東的防線，北辰想上前抵擋也無補於事。

「我們被包圍了⋯⋯」上面的樓層也傳來聲響，敏銳的淩東察覺形勢不妙。

「好恐怖好可怕啊⋯⋯」漆黑幽暗的環境，加上地上的白骨殘骸，這兩樣東西觸發了阿學內心深處的恐懼。

「實驗室……」阿學看過相似的情景，在他還是幼童的時候。

「阿學，打起精神！我需要你的知識、你的技術！」娜恩冒險握緊阿學的雙手，要擺脫面前困境，不能只靠蠻力。

「小姐……」而在那個幽暗的實驗室裡，其實當時也是娜恩喚醒了阿學，只是他們都記不起這段記憶。

「對……這不是幽靈……如果是靈體的話，根本不須要附在骨頭上，已足夠嚇人。」阿學逐漸回復冷靜後以手提電腦查看週圍環境。

「阿學，要快點了……」淩東和佑南，面對著排山倒海的攻勢。

「雖然沒有十足把握，但只能試試這一招了……」雖然武術造詣非凡，但佑南一直未能掌握家族流傳的古武術精粹。

每個人也有自己的弱點、自己恐懼的東西。阿學害怕的是幽靈鬼怪，佑南害怕的則是火焰。

「子彈所餘無幾了……」骷髏武士無懼槍炮，淩東快要無計可施。

「拜托……一定要成功。」佑南一次又一次運勁出拳，但也無法達到預期效果。

況家自古流傳的「馭火之舞」，是把氣勁轉化為熱能，能在瞬間爆發出火焰的古武術，這才是況家武術的精粹。

「再來一次……」骷髏武士已近在咫尺，佑南只餘下一次機會。

佑南氣聚丹田雙掌畫圓，在千鈞一髮之際捲起猛火。火焰波及之處，骷髏武士都退避三舍，明明是沒有生命的死物，卻表現出生物才有的特質。

「成功了！」佑南未完全掌握，是因為兒時經歷道場火災而留下陰影。

「只有活著的生物才會怕火，這些東西不會是幽靈。阿爾法，探測生命反應！」阿學突破盲點，眼前的骷髏武士只是掩眼法。

標示生命反應的光點遍佈熒光幕，包圍娜恩等人的是有體溫的、活著的生物。

「生物？」眾人感到十分疑惑。

知道不是幽靈後，阿學便不再害怕，他親手抓起骷髏武士的頭骨上下搖晃，一隻小動物從頭骨掉了下來。

「幽靈的真面目是松鼠？」娜恩驚訝的問。

「阿學說得無錯，這裡沒有幽靈，只有假裝成幽靈的小動物。」北辰拆解開骷髏武士的盔甲，它能在半空中移動是因為內裡藏了幾隻小鳥。

鳥兒、松鼠等體型細小的小動物支撐起盔甲、骷髏骨頭和頭盔，駭人的骷髏武士就能走動起來，成為令人聞風喪膽的都市傳說。

「一定是受某種力量影響，才能讓動物有相同目的並集體行動，例如是十二聖物。」北辰相信他們沒有白行一趟，旭日城裡確實存放著聖物。

「害怕火焰的話，我就有辦法殺出重圍了。」小動物都畏懼火焰，佑南打算重施故技，再下一城。

「且慢，這樣做會傷害到無辜小動物的。」娜恩叫停了佑南。

娜恩拿出畫簿，用水瓶座的魔法筆快速繪畫，她相信利用聖物的力量，能引領她找到其他聖物。

CHAPTER 10

最危險的花

螢火蟲飄滿旭日城的內部，為陰森的城堡增添柔和的燈光，這些螢火蟲全是出自娜恩的手筆，她以水瓶座魔法筆的力量撫平了躲藏在骷髏武士內的小動物。

「沒事的，我們不是來傷害你們的。」娜恩彎身溫柔的向小動物說。

「牠們變得平靜下來了……」佑南收起架式，如非必要他也不想對小動物動武。

「你們也不想傷害別人，對嗎？」對小動物來說，體型龐大的人類是可怕的威脅，娜恩彎低身子，是想向小動物釋出善意。

「是聖物的力量，驅使牠們做自己不想做的事吧。」北辰看到小動物對娜恩的態度，和剛進入旭日城時截然不同。

「你們能帶領我，去解除束縛著你們的力量嗎？」娜恩知道這不是小動物的本意。

「但是動物能理解人類的語言嗎？」冰冷的凌東不敢鬆懈。

小動物們不再襲擊娜恩等人，牠們讓出了一條道路，一頭漂亮的斑鹿正等待娜恩踏上階梯。

「牠們或者不理解語言，但能感受到小姐的善意。」北辰跟隨其後，能不動用武力便解決這次難題，是娜恩的功勞。

娜恩跟隨斑鹿登上城堡的頂層，這裡有著娜恩尋找的聖物，和與城堡格格不入的東西在中央散發亮光。

斑鹿走到燈光的源頭停下腳步，這一盞設計新穎的手提燈，就是操控著小動物的元兇。

「所有生命都是平等的、受尊重的，無論出於什麼原因，也不應該被操控。」娜恩拿起手提燈，果斷取出藏在內裡的聖物，手提燈的燈光隨即熄滅。

「我見過這聖物……這是我媽媽的東西。」雕刻著獅子頭部的襟針，和娜恩夢見過的一模一樣。娜恩意識到面前的斑鹿，很有可能就是夢境中的小鹿。

能任意指揮方圓百里的所有動物，就是十二聖物中——「獅子座的襟針」擁有的能力。

「謝謝你們一直看守著聖物，你們自由了。」娜恩向小動物誠懇道謝，不再受控制的小動物逐漸散去。

「這畫面……很美麗。」凌東看著娜恩入迷，心裡有種說不出的悸動。

「我們的小姐，就像是慈悲的女神。」佑南一樣深受感動。

「這手提燈不是古代的東西，它和聖物放在

一起，應該很有研究價值。」沒有人操控，聖物依然在發揮力量，阿學相信答案在這手提燈上。

「這次大家沒有受傷便能找到聖物，實在太好了。」這次行動順利結束，北辰鬆了一口氣。

「現在時間尚早，還來得及去市集看煙花呢！」佑南想起在慶祝活動期間，每個晚上市集都會舉行煙花晚會。

「煙花！真的嗎？」娜恩興奮的問。

成功取得聖物後，娜恩等人全都放鬆了警覺，忘記了同樣在找十二聖物的人無處不在。

「嗶嗶嗶嗶……」

「你們有聽到什麼奇怪的聲音嗎？」淩東問。

黃色的小花忽然降落到四騎士週圍，待淩東發現的時候已為時已晚，小黃花爆發起來，揚起

煙霧和塵土。

小黃花其實是小型計時炸彈，爆炸的威力微弱但已足夠令四騎士陷入一片混亂。

「小姐！」佑南意識到事有蹺蹊，但煙霧阻礙了他的視線。

「潘小姐，得罪了。」薇芙破窗而入，揮動長鞭捆綁住娜恩的身體。

「是……是誰？」娜恩被拉扯開去，薇芙的目標不只十二聖物，還有星辰集團的千金潘娜恩。

「得手了，撤退吧。」薇芙一直暗中監視娜恩等人，她帶著娜恩跳出窗外，薇芙的同伴早已準備好用來撤退的熱氣球。

「混帳……放開小姐！」淩東拼命追上前，

向著空中的熱氣球連開數槍。

「胡亂開槍可是十分危險的啊。」白色的雨傘擋下了槍彈，雨傘的主人是「芙蘿拉盜賊團」的另一成員，代號百合花的莉莉。

「四位騎士，再見了！」代號滿天星的星兒擲出大量小黃花，四騎士只能退後躲避。

夜空綻放起繽紛璀璨的煙花，但娜恩已無法和四騎士一起欣賞了，落入「芙蘿拉盜賊團」手中的她在熱氣球上飄向遠方，四騎士只能目送她逐漸遠去。

「可惡！又是那個小偷！」佑南憤慨的說。

「是我太大意了，明明知道『芙蘿拉盜賊團』也在打聖物的主意……」北辰十分自責。

「東哥！你去哪裡呀？」淩東忽然轉身離開，

阿學立即叫停了殺氣騰騰的他。

「我要幹掉她們，然後把小姐帶回來。」凌東是聽娜恩的吩咐，才一直使用橡膠子彈減低傷害，但面對地下社會的犯罪集團，是時候換上真槍實彈。

「你知道她們會帶小姐去哪裡嗎？」阿學冷靜地問。

「不知道……」凌東因為憤怒而一時失去理智。

「但我知道。」為了應對現在這種情況，阿學早已把能追蹤位置的小型裝置放在娜恩身上。

「阿學幹得好，我們……去把小姐帶回家吧。」北辰說。

這一次娜恩雖然找到代表獅子座的聖物，自

己卻落入敵人的手中，但四騎士絕對不會坐視不理，「芙蘿拉盜賊團」和守護娜恩的四騎士將會全員對壘，正面交鋒。

「男爵，潘小姐被芙蘿拉那伙人捉走了。」蕾安娜致電蒙面男爵。

蕾安娜在旭日城外，她聽命於蒙面男爵暗中跟蹤娜恩等人，目標是找準機會搶走藏在旭日城的聖物。只是她沒有想到「芙蘿拉盜賊團」會突然出現，捷足先登。

「螳螂捕蟬，黃雀在後……看來我也是時候和芙蘿拉的女士們玩玩了。」蒙面男爵不允許有人打亂他的計劃，但他現在還有重要的事情處理。

蒙面男爵帶同露娜和露比去到位於孤島上的

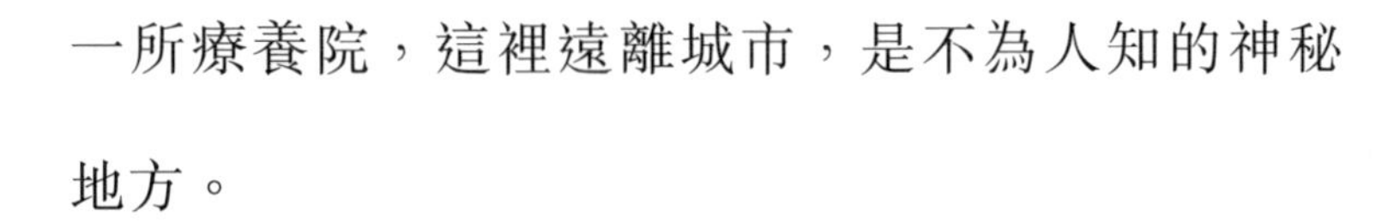

一所療養院，這裡遠離城市，是不為人知的神秘地方。

「男爵，我們來這裡幹什麼？」露娜看著週圍神情恍惚的病人問。

「這裡是療養院，我們來這裡當然是為了治療病人啦！」蒙面男爵打趣的說。

「男爵又不是精神科醫生，怎會懂得治療患了精神疾病的人？」露比說。

「你們有所不知了，這裡的病人其實沒有患上精神疾病啊！」蒙面男爵手上拿著從娜恩借來的聖物——雙魚座的魔笛。

「吓？」露比和露娜異口同聲問。

雙魚座的魔笛所發出的聲音，會挖掘人內心的恐懼再放大，長時間聽著這種聲音，會令人精神失常，喪失理智，但能解決這問題的靈藥，同樣是這支魔笛。

「娜恩那孩子一定很想念她的父母吧……但如果知道他們過去的所作所為，娜恩真的接受得了嗎？」蒙面男爵知道娜恩父母的秘密。

魔笛的聲音再次響起，蒙面男爵是為了解救這裡的病人，才向娜恩借取聖物，因為這裡的病人全部都是因為魔笛而精神失常。

更令人難以置信的，是他們全部都曾是和娜恩父母創立的考古團隊有關的人。

下期預告

ISSUE 4

白羊座的懷錶

娜恩遭受「芙蘿拉盜賊團」綁架，
人海茫茫，四騎士如何拯救落難的千金？
任北辰終於坦白他隱藏的秘密，
對地下社會瞭如指掌的他
竟是為了十二聖物而接近娜恩？

2023年秋季出版

創造館青少年中文小說

文 — 陳四月
圖 — 多利

文 — 卡特
圖 — 魂魂Soul

文 — 陳四月
圖 — 余遠鍠

文 — 謝鑫
圖 — Mimi Szeto
（司徒恩翹）

文 — 三聯幫half中三
圖 — 力奇

2023 AI 新時代
放飛思緒馳騁想像之兒童科普讀物
她不僅是元城學院的學生，還是在虛擬世界
人氣高企的偶像歌手。
「小愛！」「小愛！」
男學生們興奮歡呼，能和偶像近距離接觸實
在機會難逢。
「很漂亮的女生啊！」星彩雖然是女生，也
不禁被眼前美麗的少女吸引住。
「你也是小愛的粉絲嗎？一起為小愛歡呼
吧！」男生們邀請星彩一同吶喊。
「嗯……小愛！小愛！小愛！」
本不認識小愛的星彩瞬間被迷住，脫口歡呼。
奪目耀眼的李愛夢是音樂領域的天才少女，
年紀輕輕已熟練掌握多種樂器，憑着自己創作的
歌曲一舉成名，是大人小孩都喜愛的偶像歌
手。
「星彩……再不去課室便遲到了。」妍書被
擠出人群，她說話的聲線微弱得被歡呼聲蓋過。
地心世界
礦車駛出了
火山，映入學生眼簾
的是前所未見的世外桃源。色彩鮮艷的彩霞下是
滿佈巨大植物的熱帶雨林，這裡就是元域探索的
第一個目的地——地心世界。
「真刺激啊！」星彩一點也不害怕，其他同
學也表現得十分冷靜，因為他們知道在虛擬世界
是不會受到真實的傷害。
「在一八六四年出版的
《地心歷險記》內，講述了一個地質學家探索地心世
界的故事，而科學家們曾經努力不懈去研究，他
「哈哈，為什麼會有三個玲妮和三個妍書
的？」星彩傻呼呼的說着，連腳步也站不穩。
「這蘑菇會令人出現
，是不能放入口
中的！」妍書觸碰蘑菇，書中立即出現了新的彩
頁。

獅子座
的襟針
③

Follow 我們 ...

Instagram

facebook

作者	陳四月
繪畫	魂魂 SOUL
策劃	余兒
編輯	小尾
設計	Zaku Choi
出版	創造館 CREATION CABIN LIMITED 荃灣美環街 1 號時貿中心 604 室
電話	3158 0918
聯絡	creationcabinhk@gmail.com
發行	泛華發行代理有限公司 將軍澳工業邨駿昌街七號二樓
印刷	高科技印刷集團有限公司
出版日期	2023 年 8 月
ISBN	978-988-76570-9-5
定價	$68

出版

製作